고전궁체

갈꽃 전숙희 씀

한글서예

㈜이화문화출판사

차 례

□ 고전궁체 정자 낱말

□ 고전궁체 흘림 필법

□ 고전궁체 흘림 자음·모음

□ 고전궁체 흘림 낱말

□ 고전궁체 진흘림 필법

□ 고전궁체 진흘림 자음 · 모음

□ 고전궁체 진흘림 낱말

□ 고전궁체 정자 시조

□ 고전궁체 흘림 시조

□ 고전궁체 진흘림 시조

□ 고전궁체 정자 필법

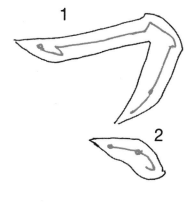

「ㄱ」은 「가」로 읽으며 정
자 「고」의 「ㄱ」획의 필법
과 비슷하나 ①획을 약간
더 위로 치켜 긋고 ②에서
붓을 가볍게 놓고 오른쪽
으로 강하고 짧게 붓을 눌
렀다가 든다.

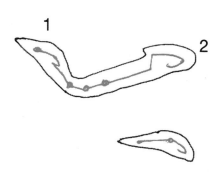

「ㄴ」의 ①획은 붓끝을
가볍게 놓아 오른쪽 약
45도 각으로 내려오면
서 수평으로 둥글게 빗
겨 그어 ②에서 붓끝을
세우고 오른쪽으로 눌
렀다가 붓을 들면서 왼
쪽 약 45도 각으로 빗겨
내려와서 수평으로 짧
게 누르고 붓을 든다.

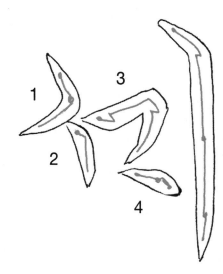

「ㅆ」는 「깨」로 읽으며
「ㅅ」획과 「ㅆ」획이 합
성된 글자로서 「ㅅ」획
을 두드러지지 않도록
작게 써야 한다.

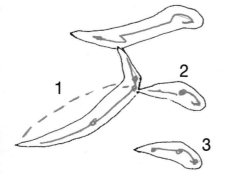

「즈」는 정자 「ㅈ」의 필
법과 비슷하여 ①획은
더 길게 긋고 가로획과
②획의 간격이 좁지 않
도록 붓을 놓고 의 획
은 ①획의 끝점 높이에
붓을 놓고 점을 찍고
붓을 든다.

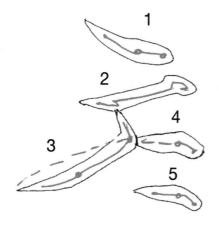

「츠」는 ①획은 「ㅊ」의
머리획과 같이 강하고
길게 찍고 나머지 획은
「ㅈ」의 필법과 같이 하
면 된다.

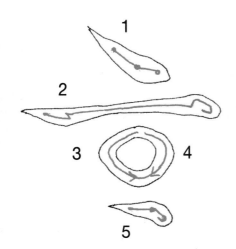

「흐」는 「흐다 홀, 흔
다」에 쓰이며 정자「ㅎ」
획의 가로획보다 길게
그어야 한다.

□ 고전궁체 정자 자음·모음

马契加

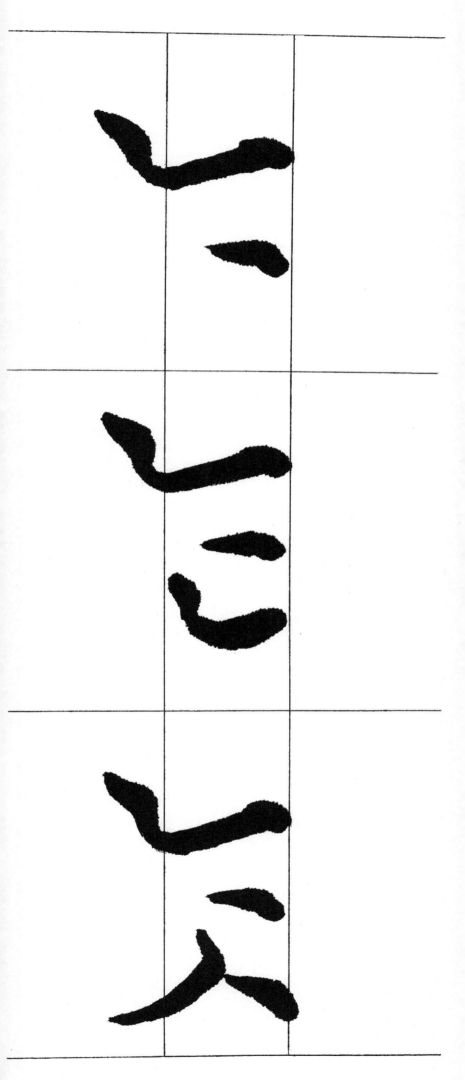

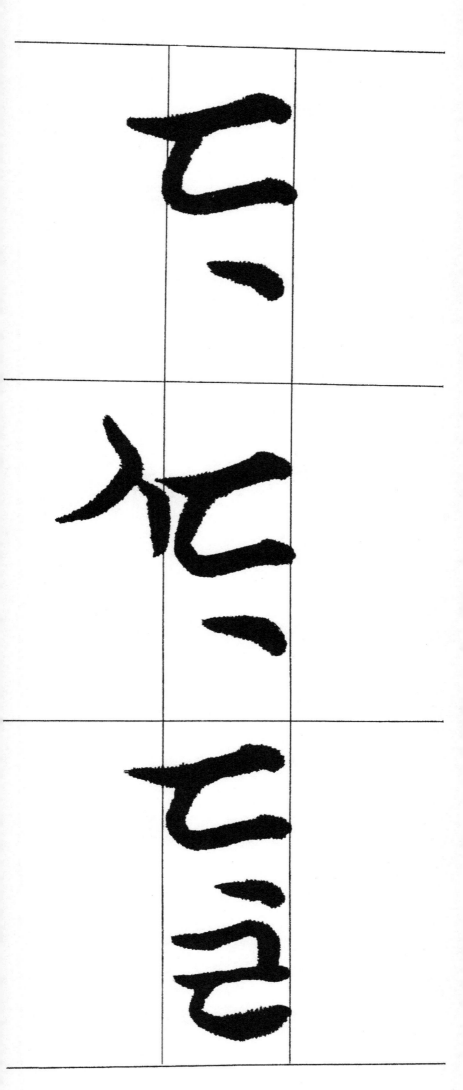

ᄅᆞ

ᄅᆞᆯ

ᄅᆞᆷ

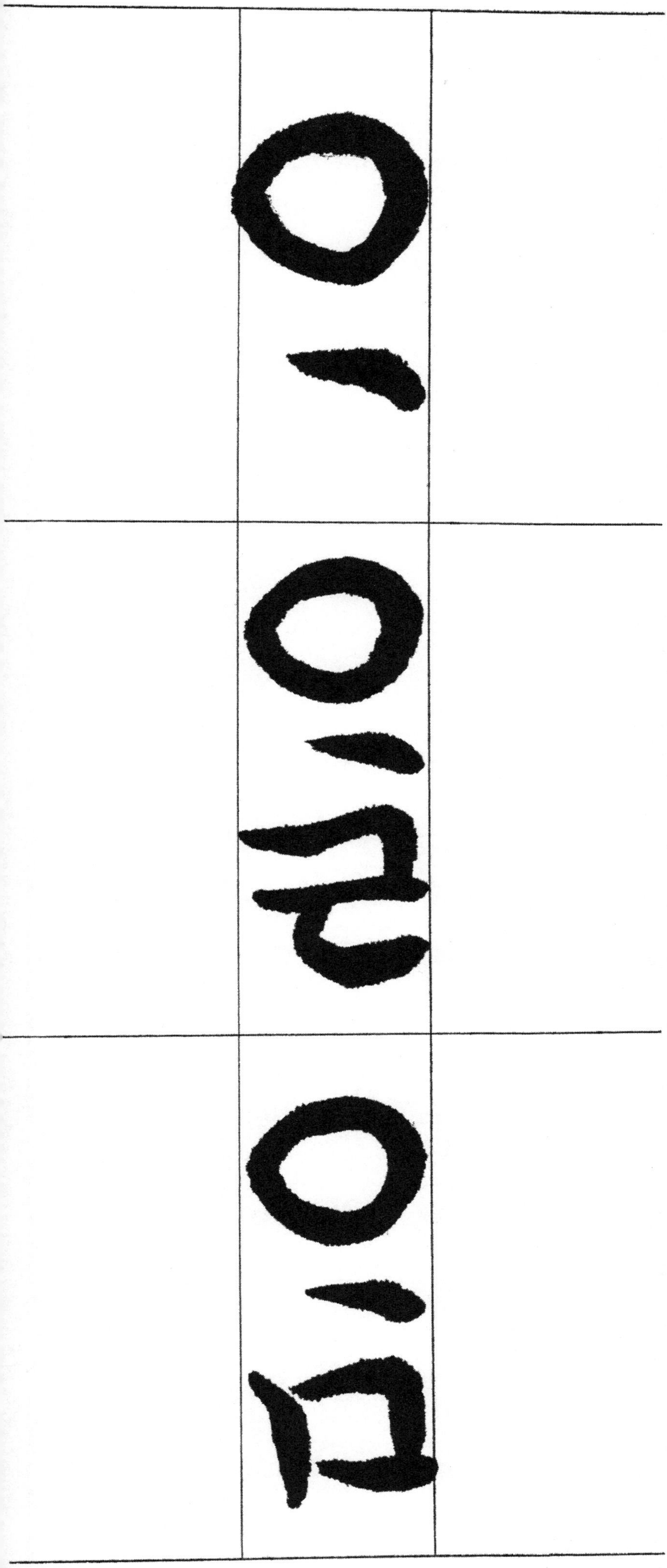

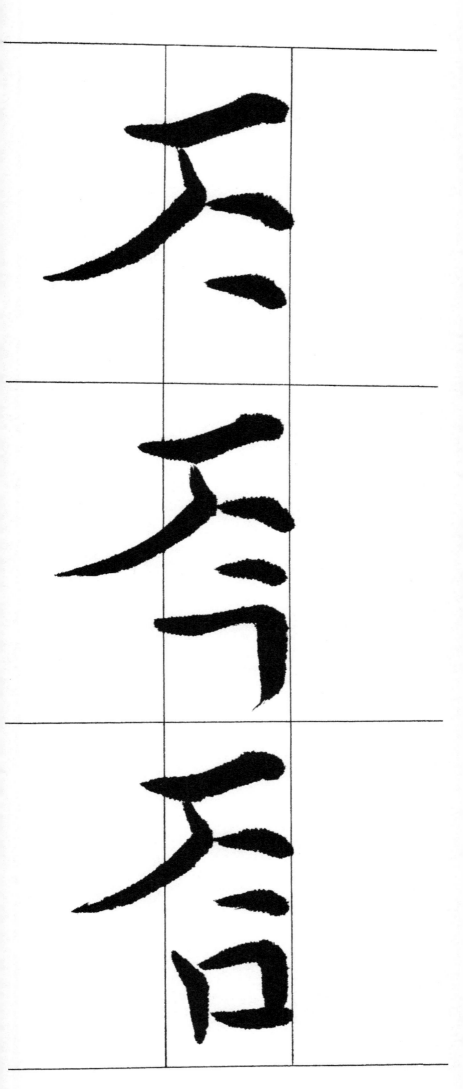

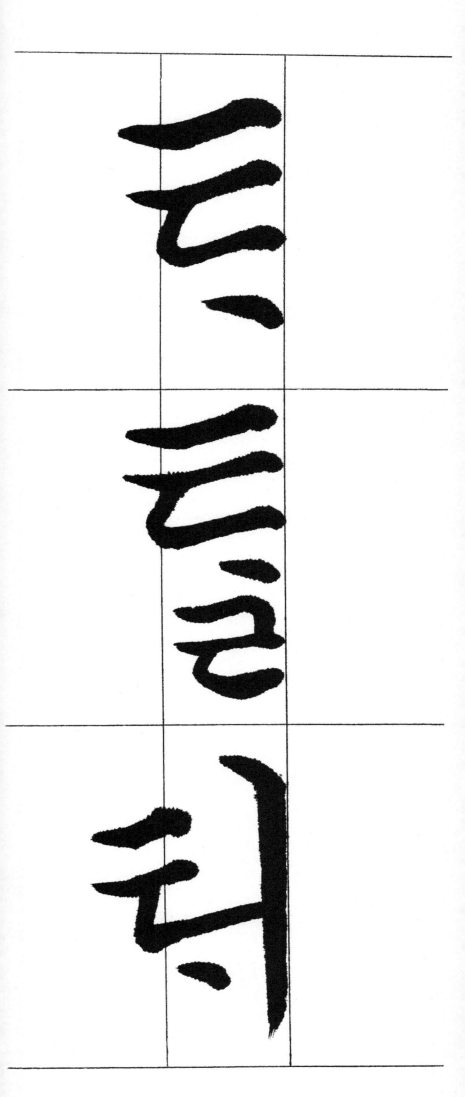

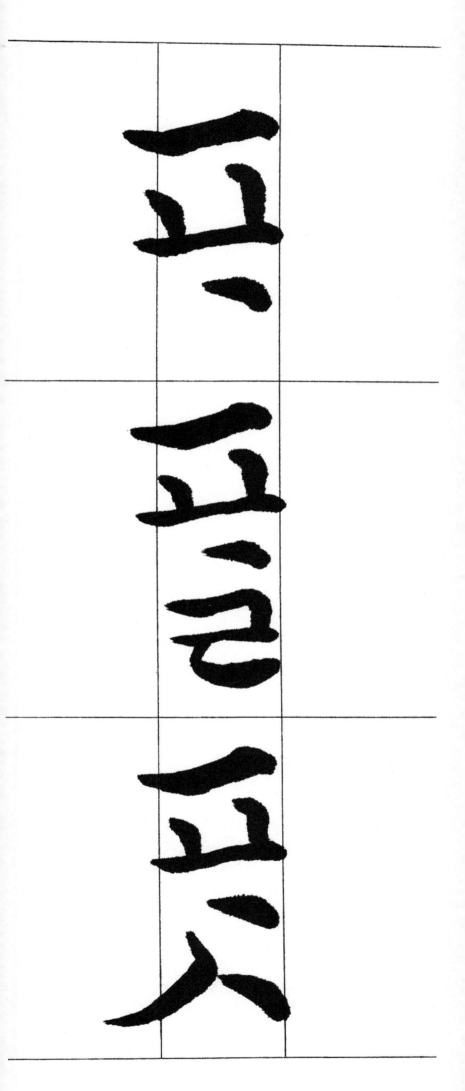

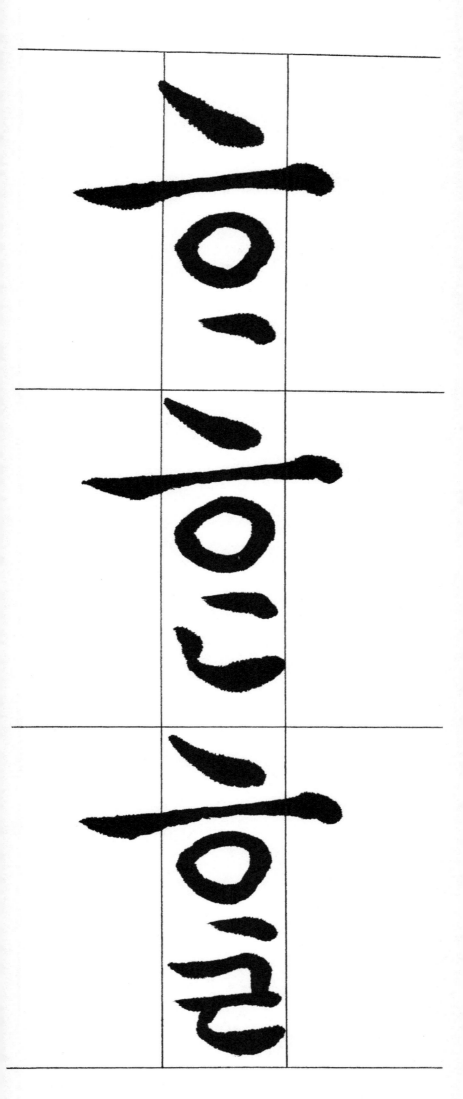

19

□ 고전궁체 정자 낱말

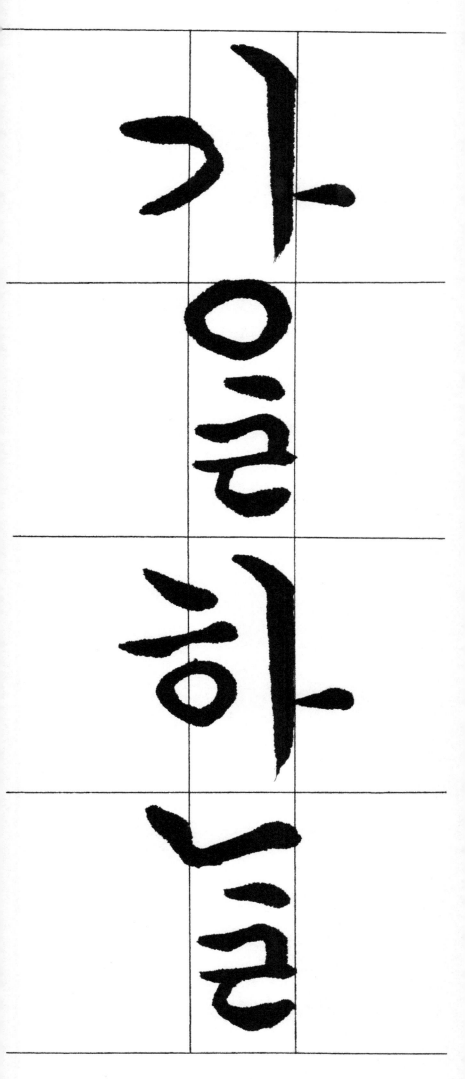

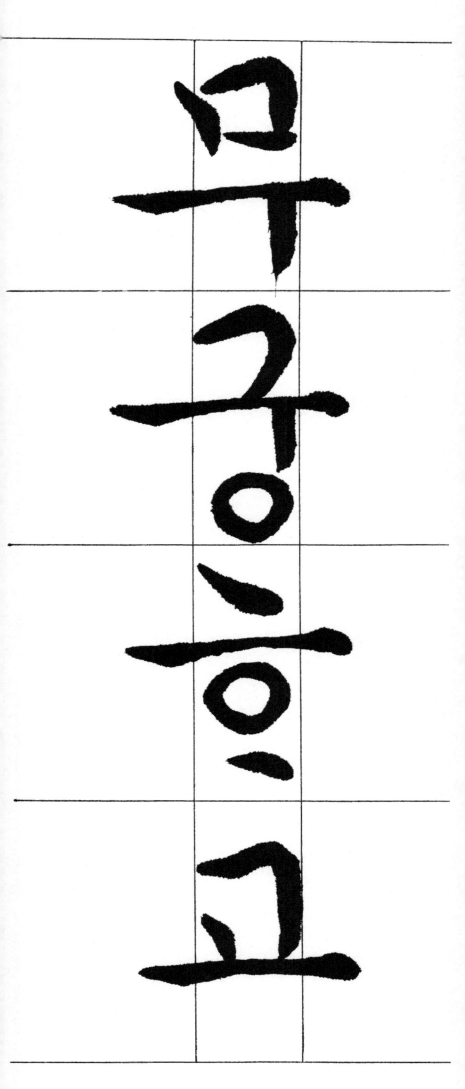

23

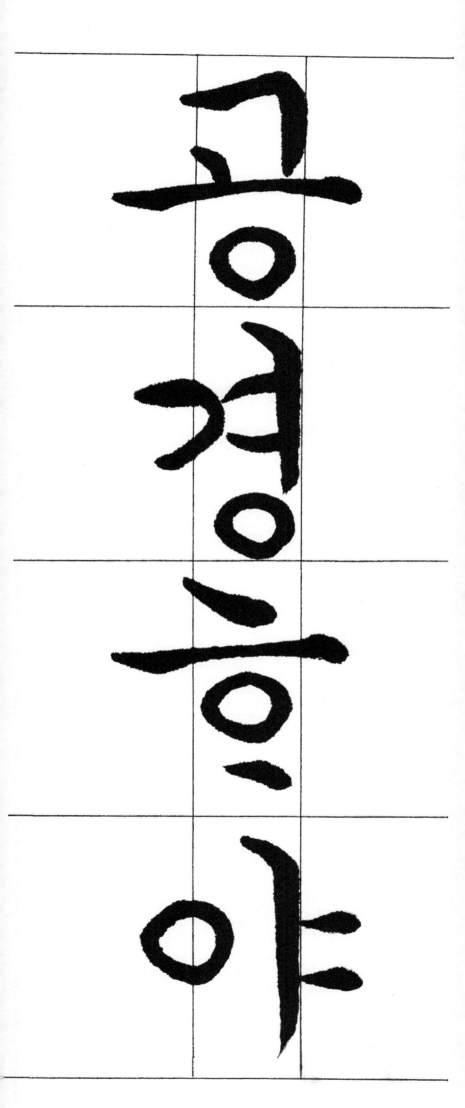

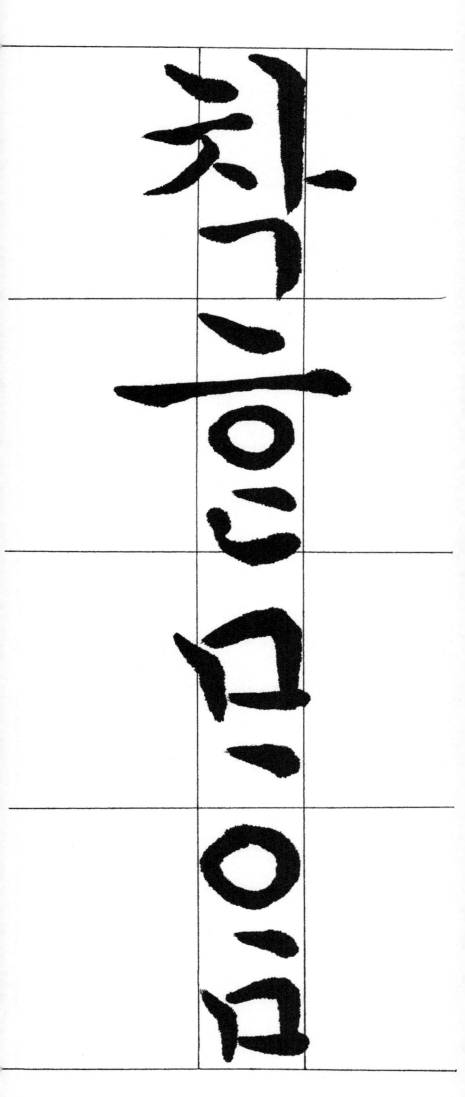

□ 고전궁체 흘림 필법

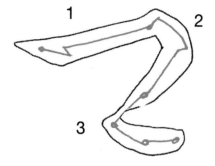

「ㄱ」에서 1획은 가로획보
다 더 위로 빗겨 긋고 2
획에서 대각선 점을 찍고
붓을 세워서 내리며 3에
서 붓끝을 다시 세워 점을
강하게 찍고 붓을 든다.

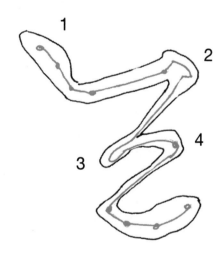

「ㄴ」에서 1획은 2획,
3획은 「ㄴ」의 필법과
같으나 받침이 있을 때
는 3획이 가로로 놓이
며 4획은 붓을 가볍게
놓아 빗겨 내려서 가로
로 눌러다가 붓을 든다.

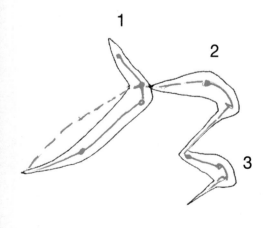

「ㅅ」은 흘림체 「ㅅ」과
필법이 같으나 1획을
더 길게 긋고 2획이 짧
아지지 않게 하여 붓끝
을 세워서 3획을 그으
면서 다음 글자와 이어
지도록 가볍게 빗겨 긋
는다.

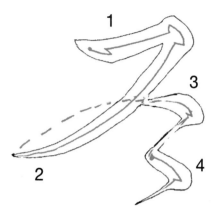

「ㅈ」은 ①의 가로획을 짧
고 강하게 찍고 ②획은 흘
림체 「ㅈ」보다 길게 긋고
③의 가로획은 짧고 가볍
게 긋고 붓을 눌렀다가 왼
쪽으로 살짝 빗겨 내리 치
고 자음의 중심에서 오른
쪽으로 가로획을 찍고 붓
을 들면서 빗겨 내려 다음
글자와 이어지도록 한다.

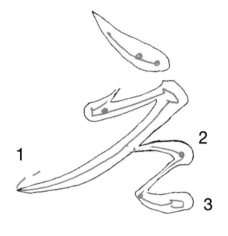

「ㅊ」은 흘림체 「ㅊ」의
필법과 비슷하여 ①획은
길게 삐쳐주고 ②에서
가로획의 중심에 맞춰
붓을 눌러 점을 찍고 붓
을 세워 ③의 점을 찍고
붓을 든다.

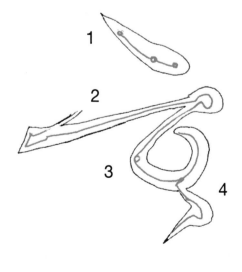

「ㅎ」의 ①획은 「ㅊ」의
필법과 같으나 ②획은
흘림체 「ㅜ」의 가로획을
긋듯이 빗겨 긋고 붓을
세워서 ③왼쪽 방향 약
45도의 각으로 강하게
눌렀다가 붓을 세워서
원을 그리고 붓을 들 ④
원의 아래에 점을 찍고
다음 글자와 이어지도록
빗겨 긋고 붓을 든다.

□ 고전궁체 흘림 자음·모음

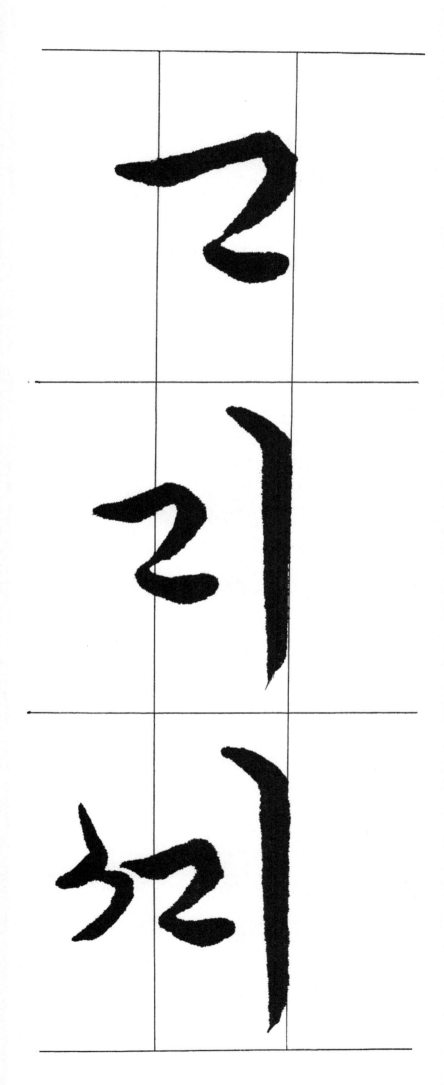

習

契

約

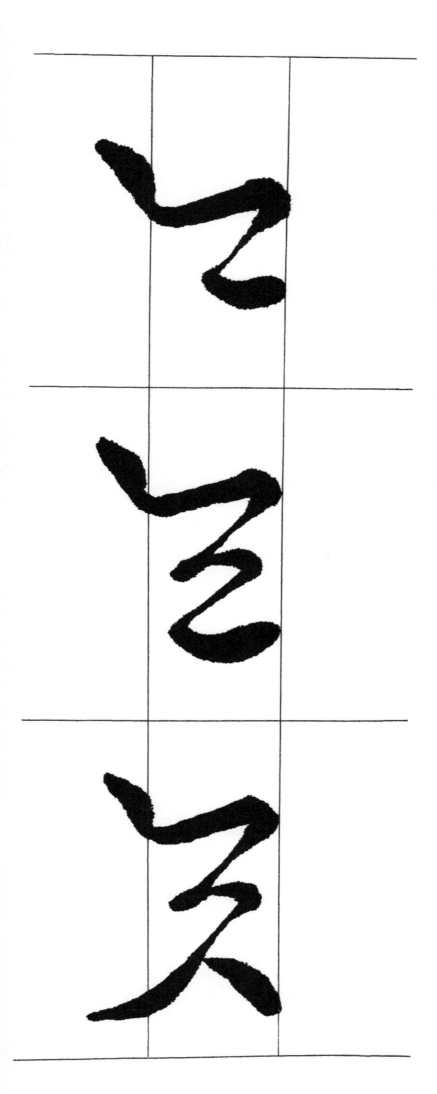

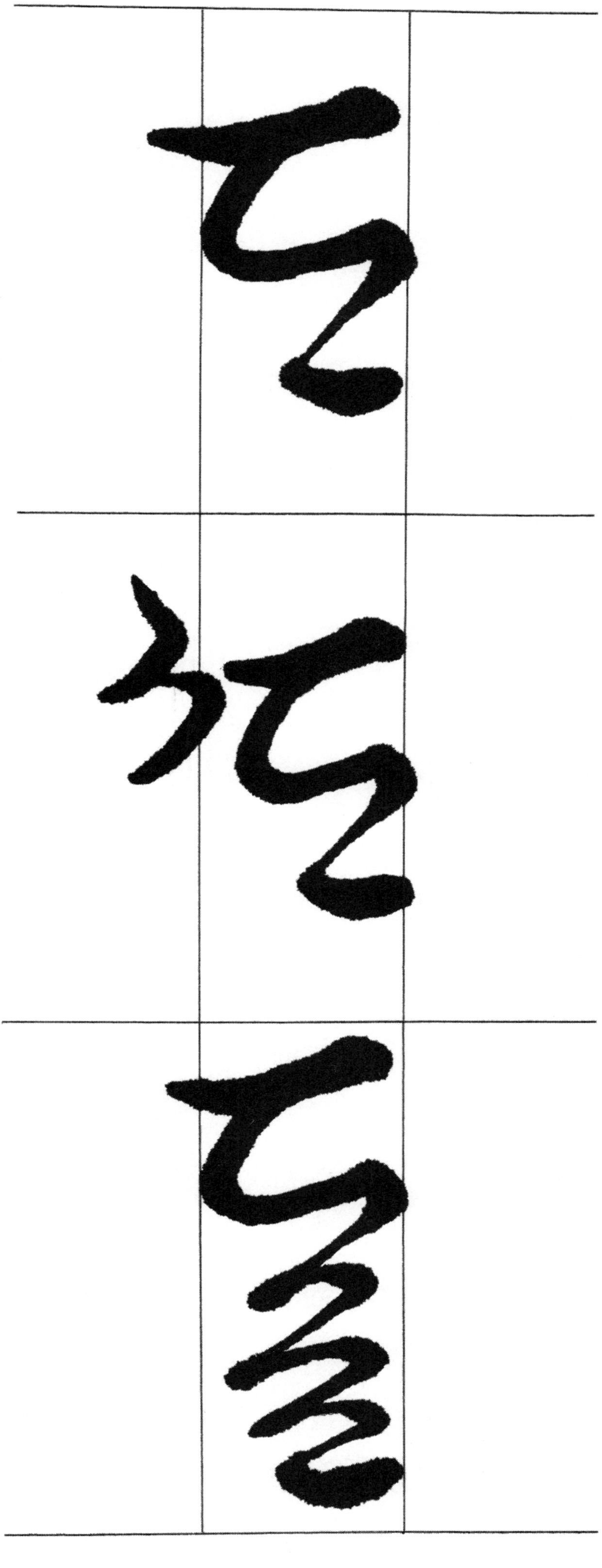

되

뎌

됴

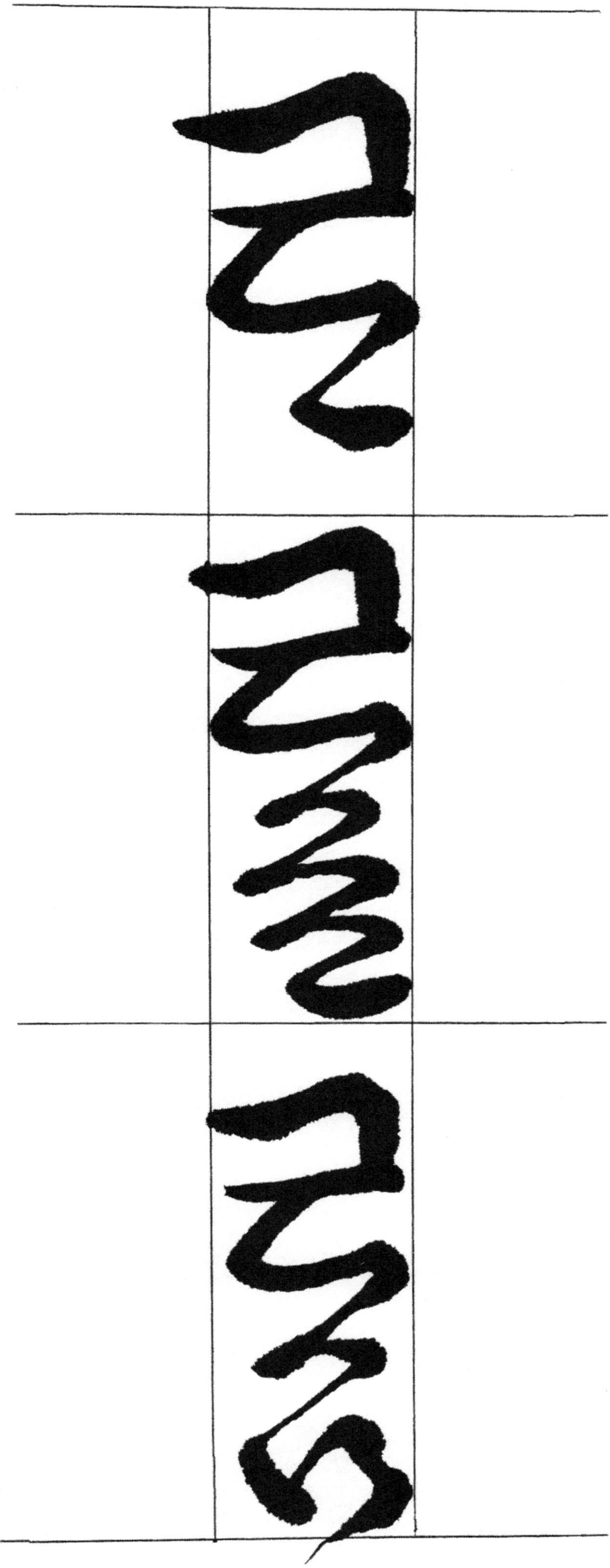

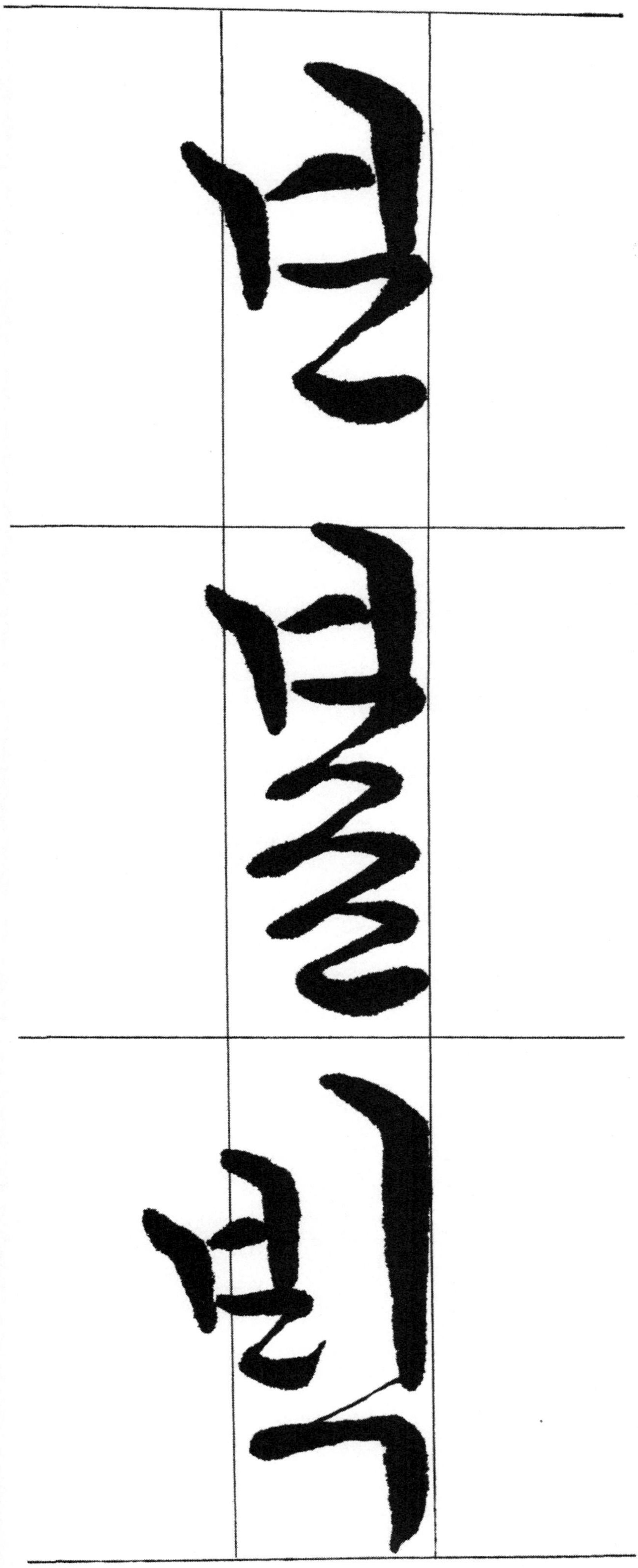

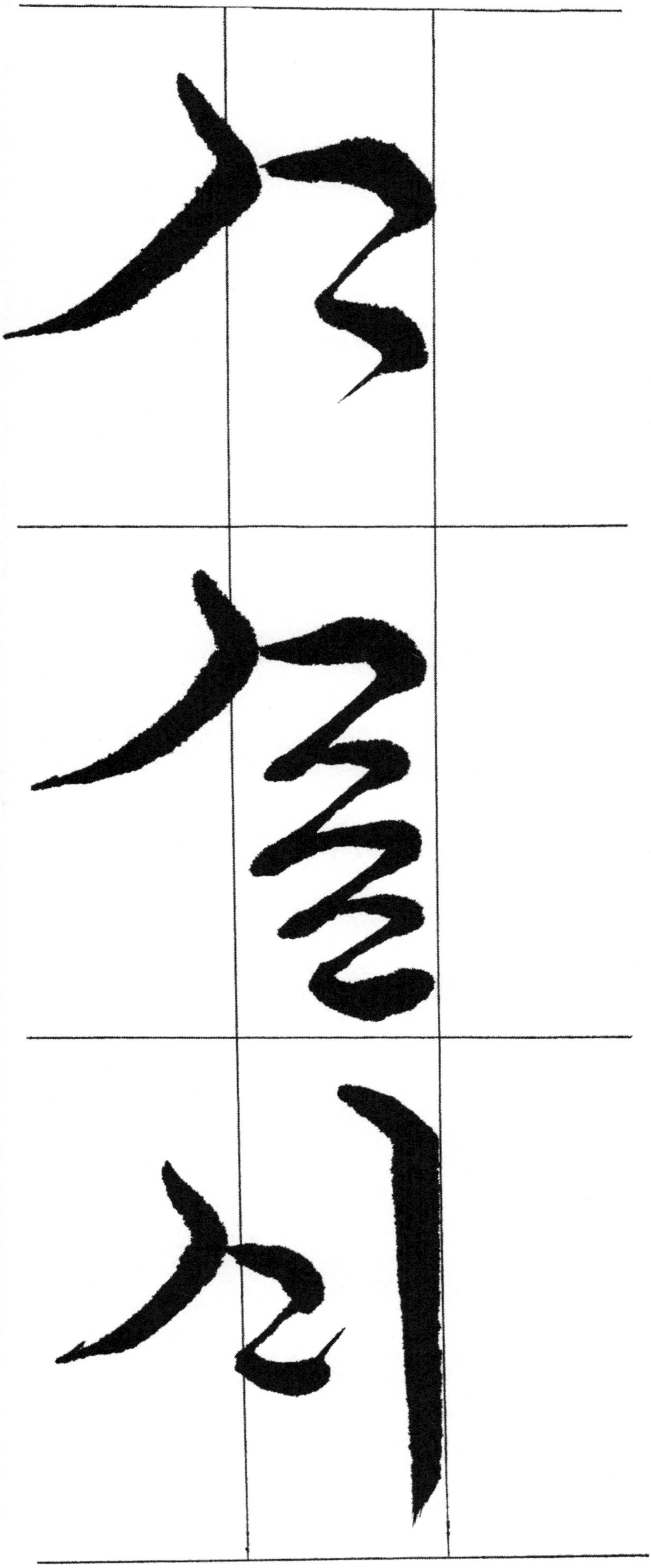

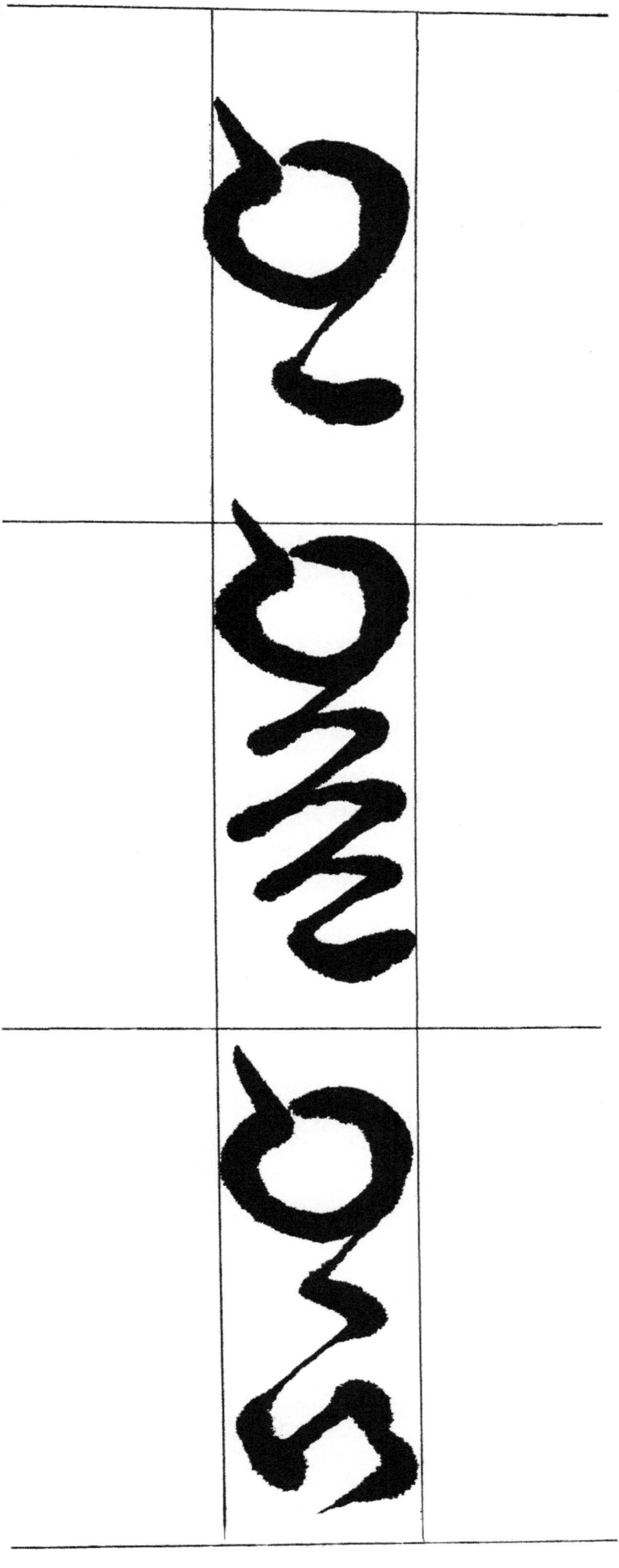

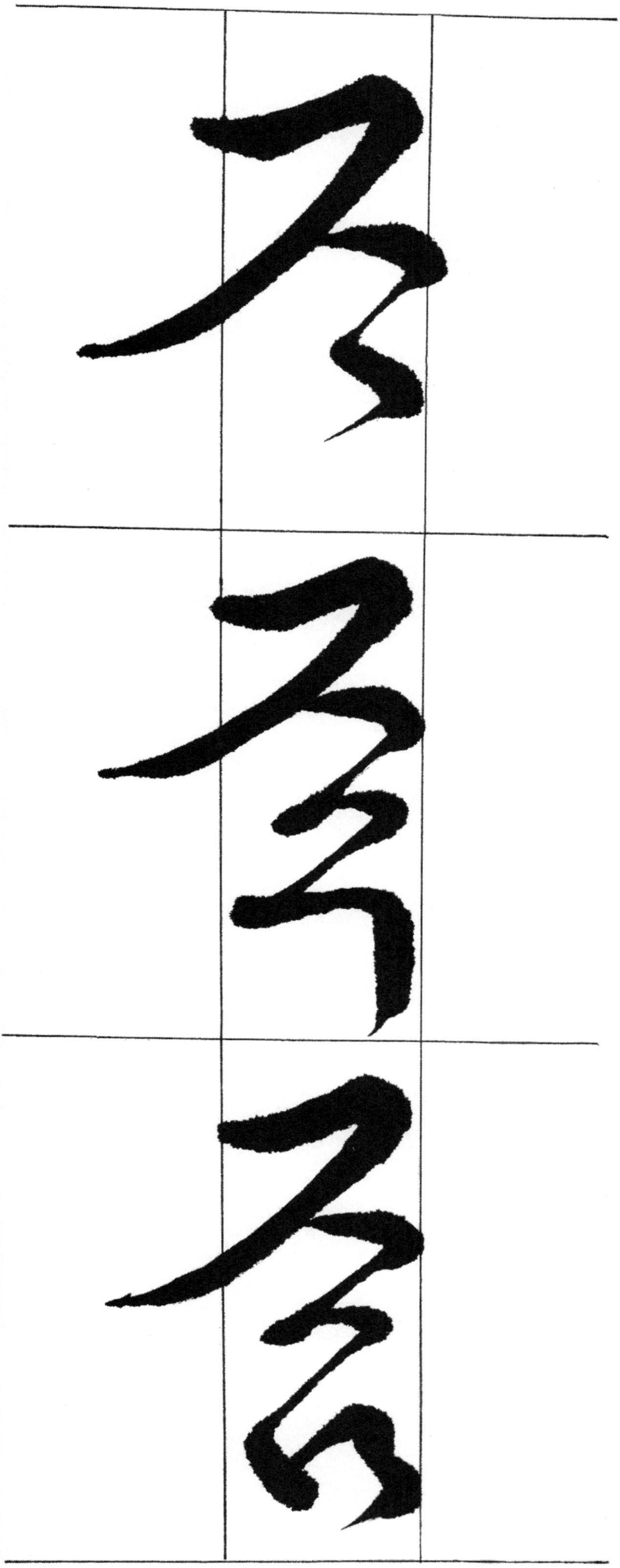

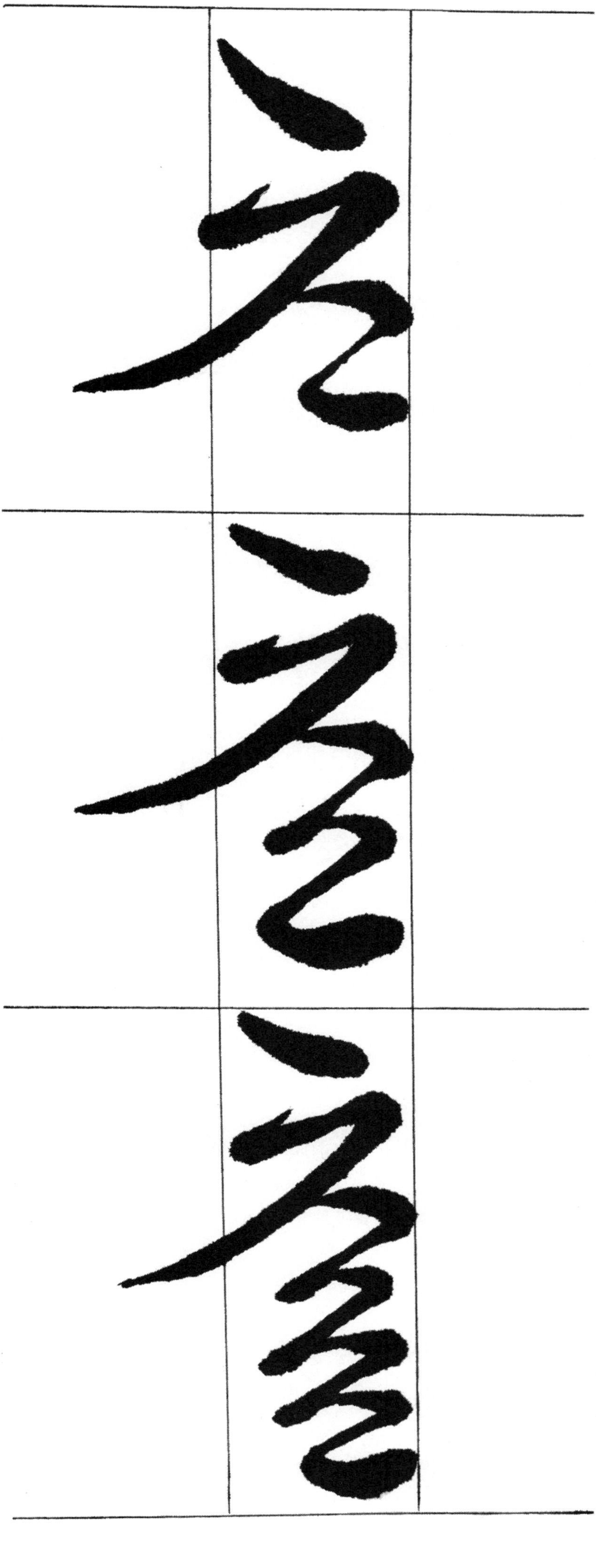

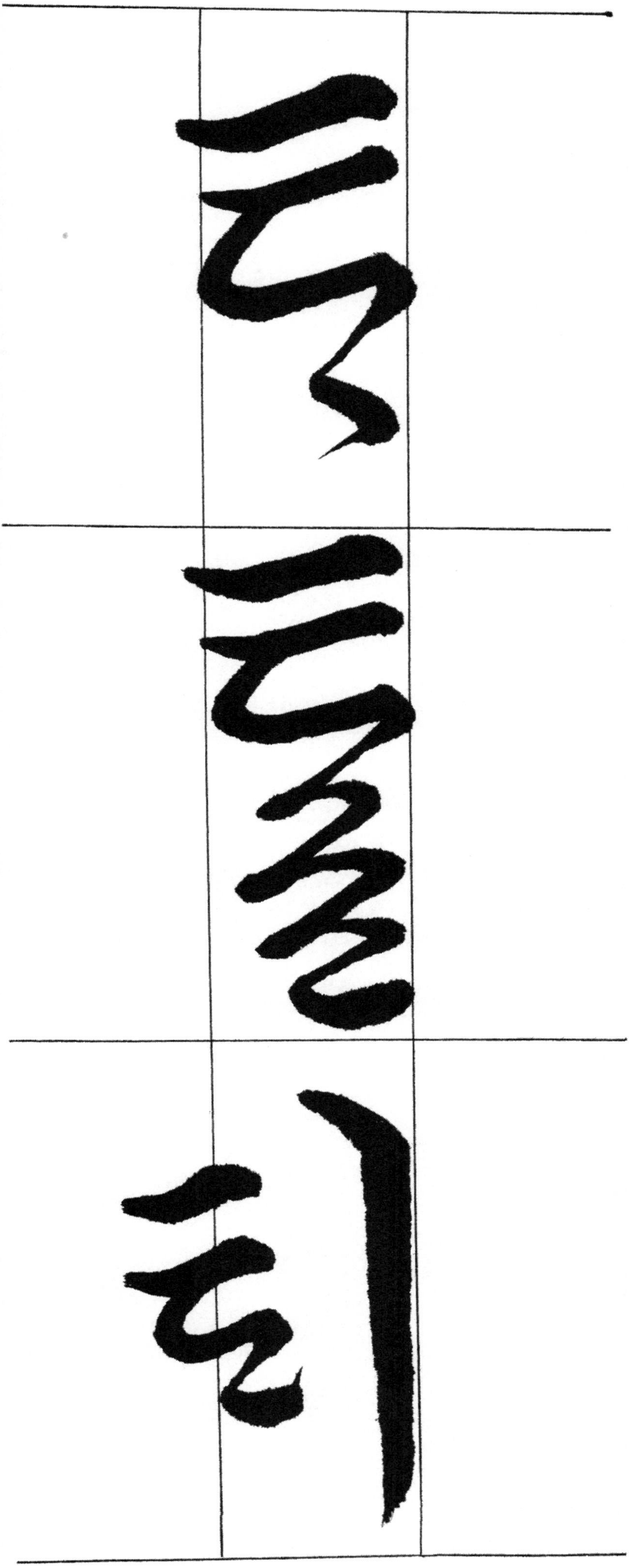

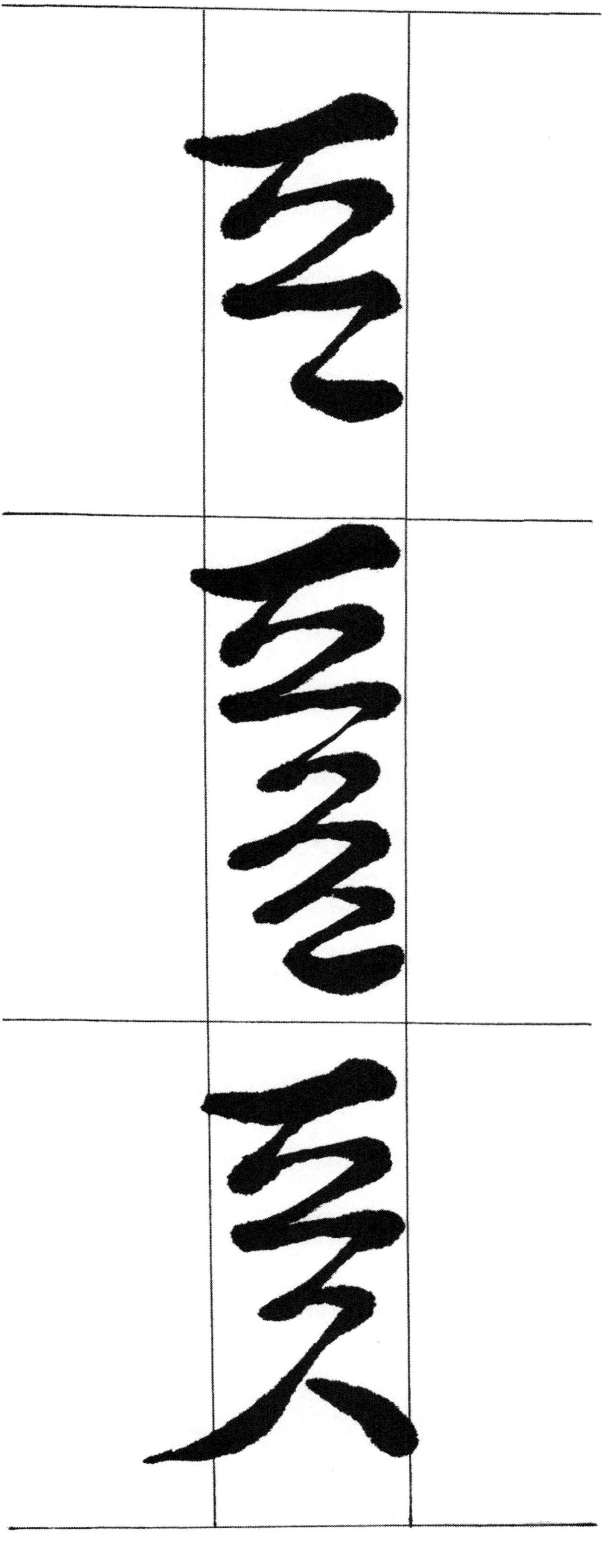

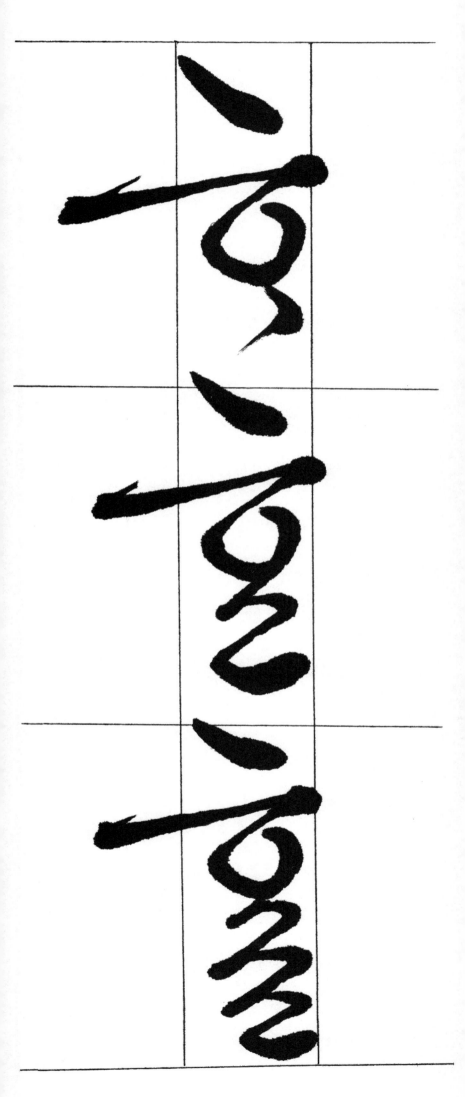

□ 고전궁체 흘림 낱말

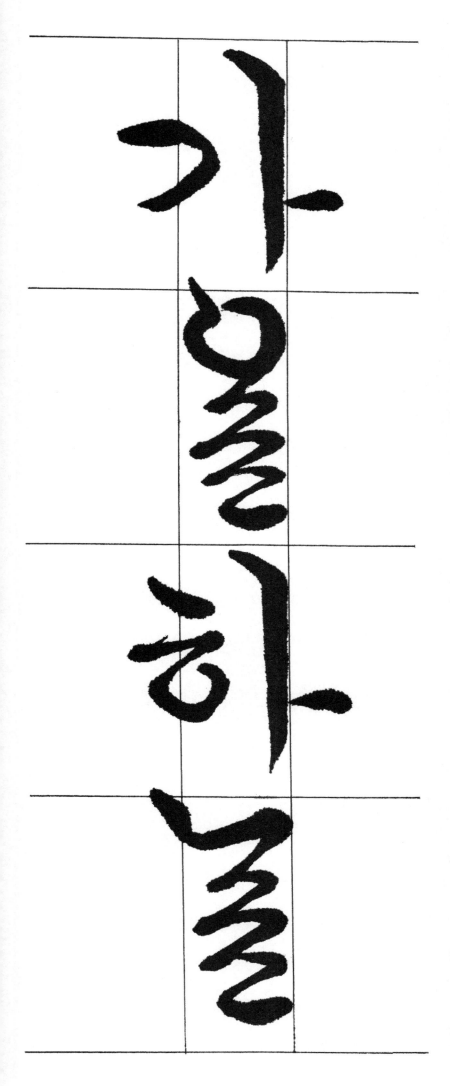

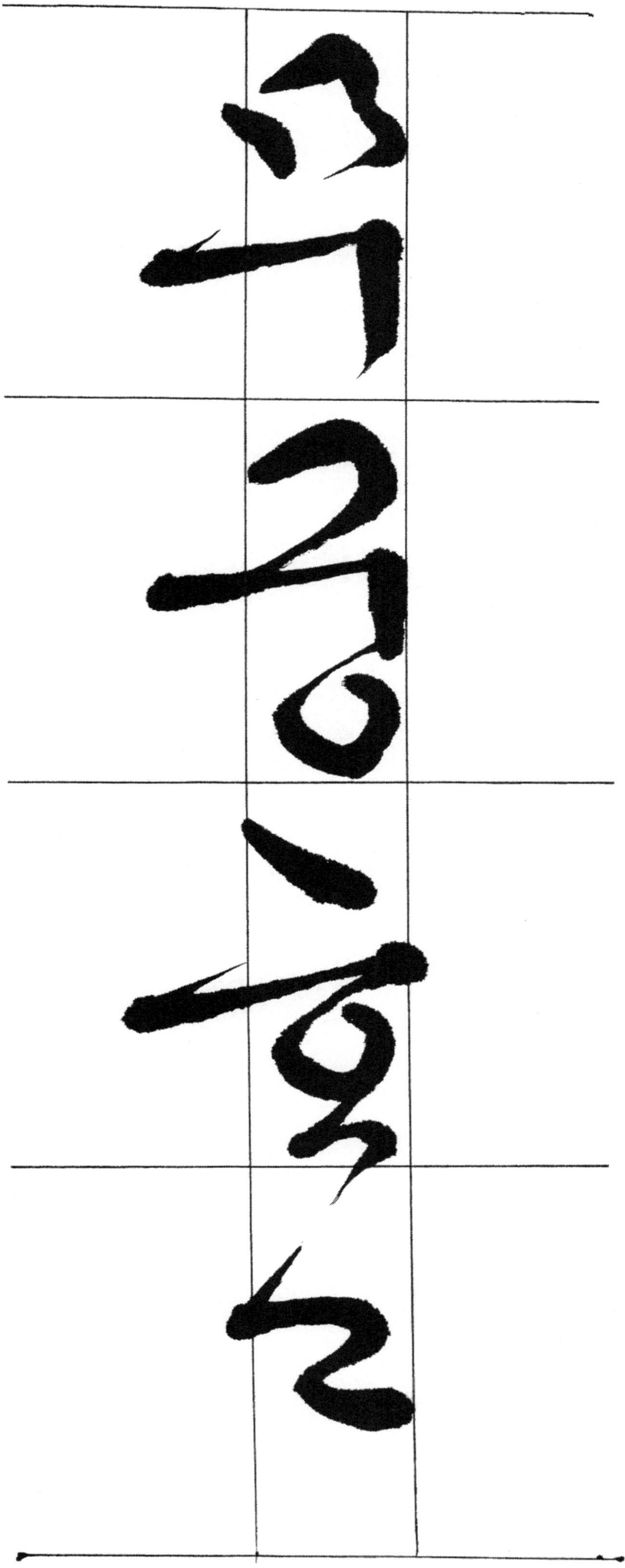

경향의를

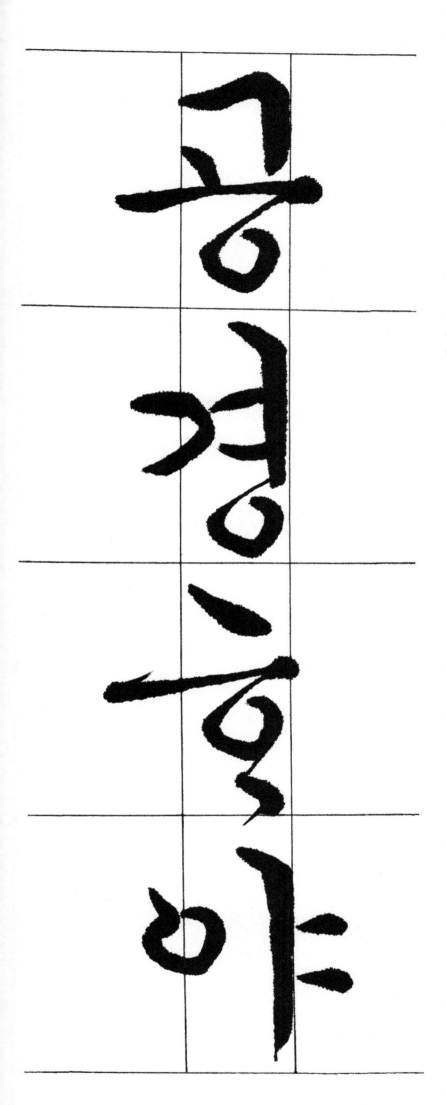

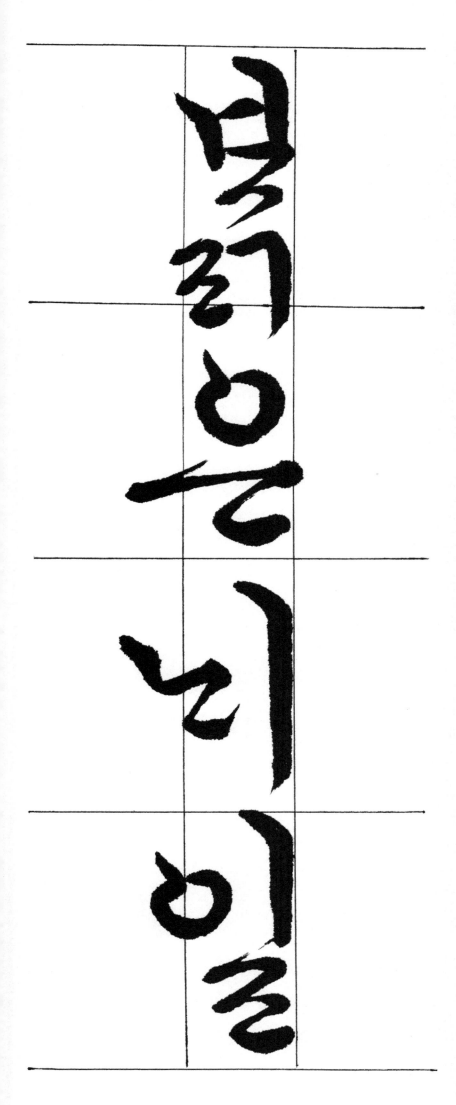

57

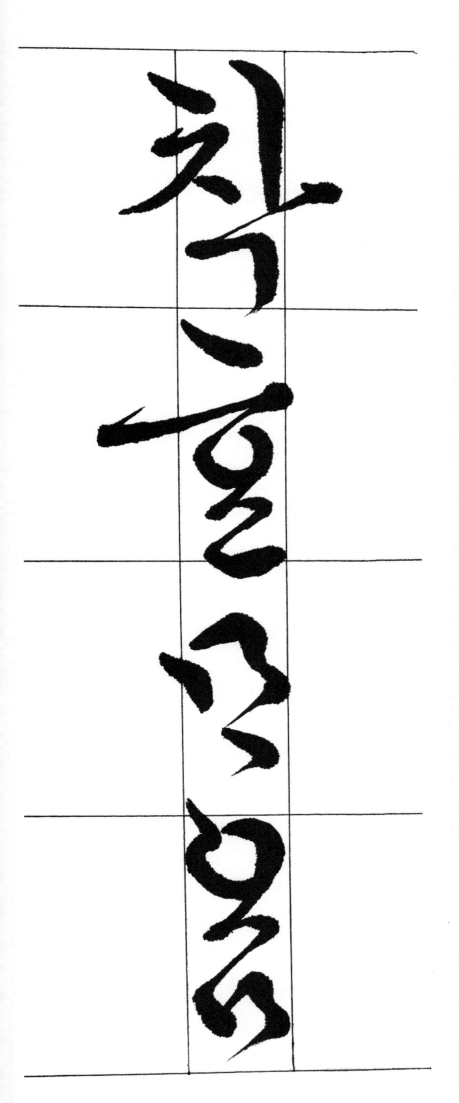

청랑셩니

특경이회

□ 고전궁체 진흘림 필법

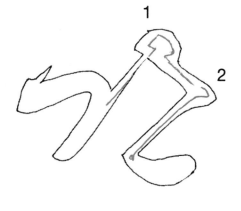

「ㅏ」의 진흘림체는 자음의 연결선에서 약45도의 각으로 강하게 점을 찍고 붓을 세워 홀림체 「ㅁ」의 1획과 같이 다시 점을 찍고 붓을 세워서 받침의 방향으로 붓끝을 가볍게 다음 글자까지 빗겨 친다.

「ㅑ」는 홀림체 「ㅑ」에서와 같이 두 점을 한번에 내리면서 세로획의 끝점으로 붓끝을 모아준다.

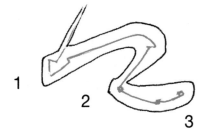

「고」는 윗 글자로부터 빗겨 내려온 지점에서 1붓끝을 세워 강하게 「ㄱ」획을 찍고 2획에서 붓끝을 세워 3에서 끝점을 찍듯이 눌렀다가 붓을 든다.

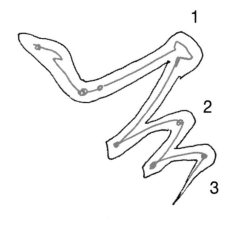

「눈」은 자음과 받침사이에 아래점이 있을 경우에 ①에서 붓끝을 세워서 내리며 ②획은 흘림체의 「ㄹ」받침의 필법과 같이 치켜 긋고 ③에서 붓을 세워서 다음 글자와 이어지도록 가볍게 빗겨 치면서 붓을 든다.

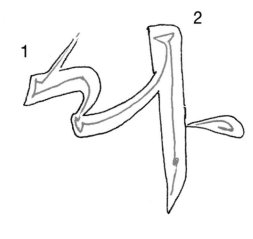

「다」는 윗 글자에서 빗겨 내려온 이음선에서 ①붓을 세워서 강하게 가로획을 찍고 ②에서 세로획의 머리를 생략한 모양으로 붓을 세우며 모은다.

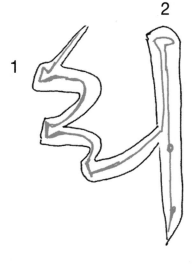

「리」는 윗 글자의 이음선에서 ①붓끝을 세워 강하게 점을 찍듯 눌렀다가 붓을 세워서 흘림체「라」의 「ㄹ」획을 쓰듯이 하고 ②에서 붓끝을 세우며 모은다.

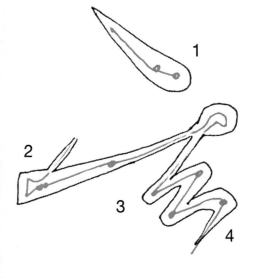

「ᄒ」는 ①획에서 흘림체
보다 더 위를 향하게 세
워서 점을 찍고 ②에서
는 가로획이 흘림 획보
다 더 위로 기울어지도
록 치켜 그어 ③획의 동
그라미를 짧은 가로획을
긋듯이 하여 점을 찍고
④에서 붓끝을 모아 다
음 글자와 이어지도록
가볍게 빗겨 내린다.

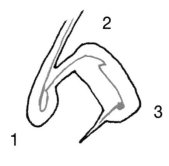

「ᄆ」받침은 ①모음에서
붓끝을 세워 내려 찍듯
이 하고 ②에서 점을 찍
고 흘림체「ᄆ」쓰듯이 하
면서 ③획까지 한번에
긋고 붓끝을 세우고 모
아서 다음 글자와 이어
지도록 가볍게 빗겨 치
고 붓을 든다.

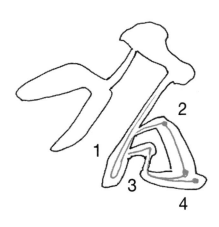

「ᄇ」 받침은 모음에서
빗겨 내린 선에 ①붓을
놓았다가 세우고 ②획
으로 빗겨 긋고 붓끝을
세워 ③획과 ④의 가로
획을 찍고 붓을 든다.

□ 고전궁체 진흘림 자음 · 모음

걸앙흐라

67

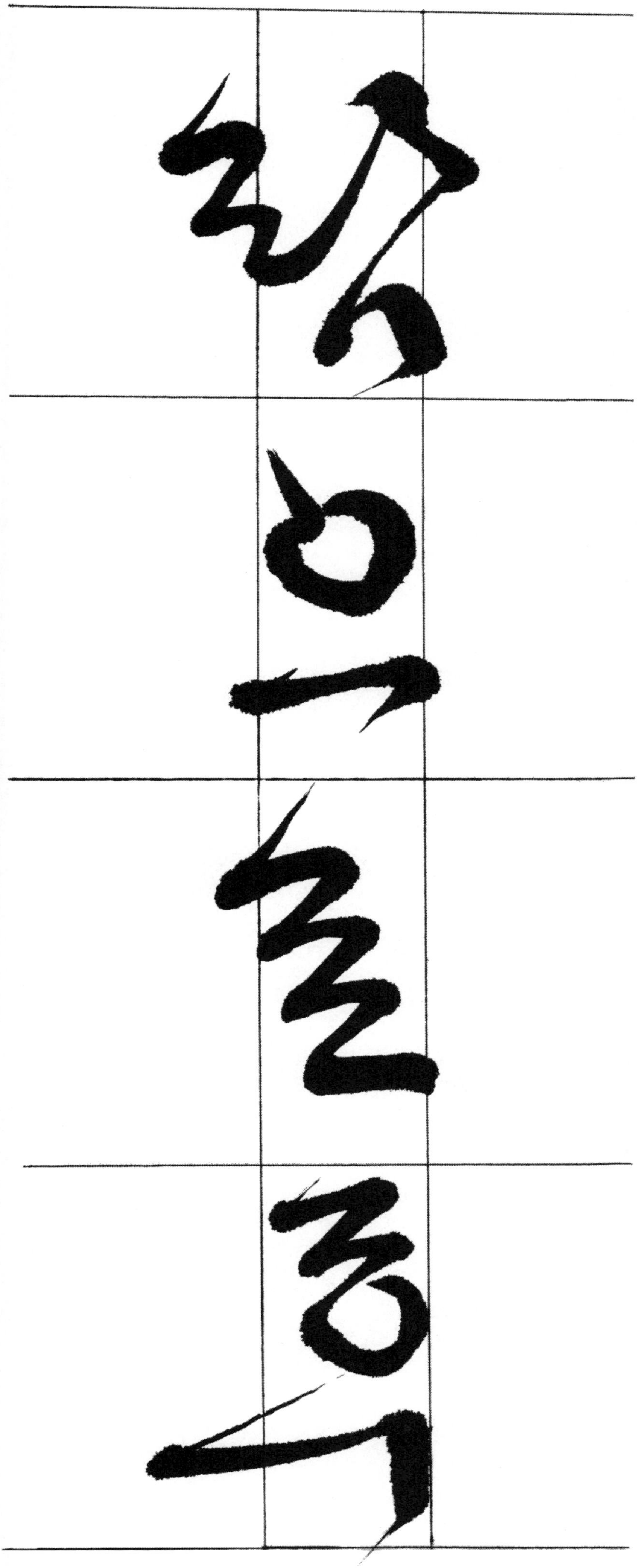

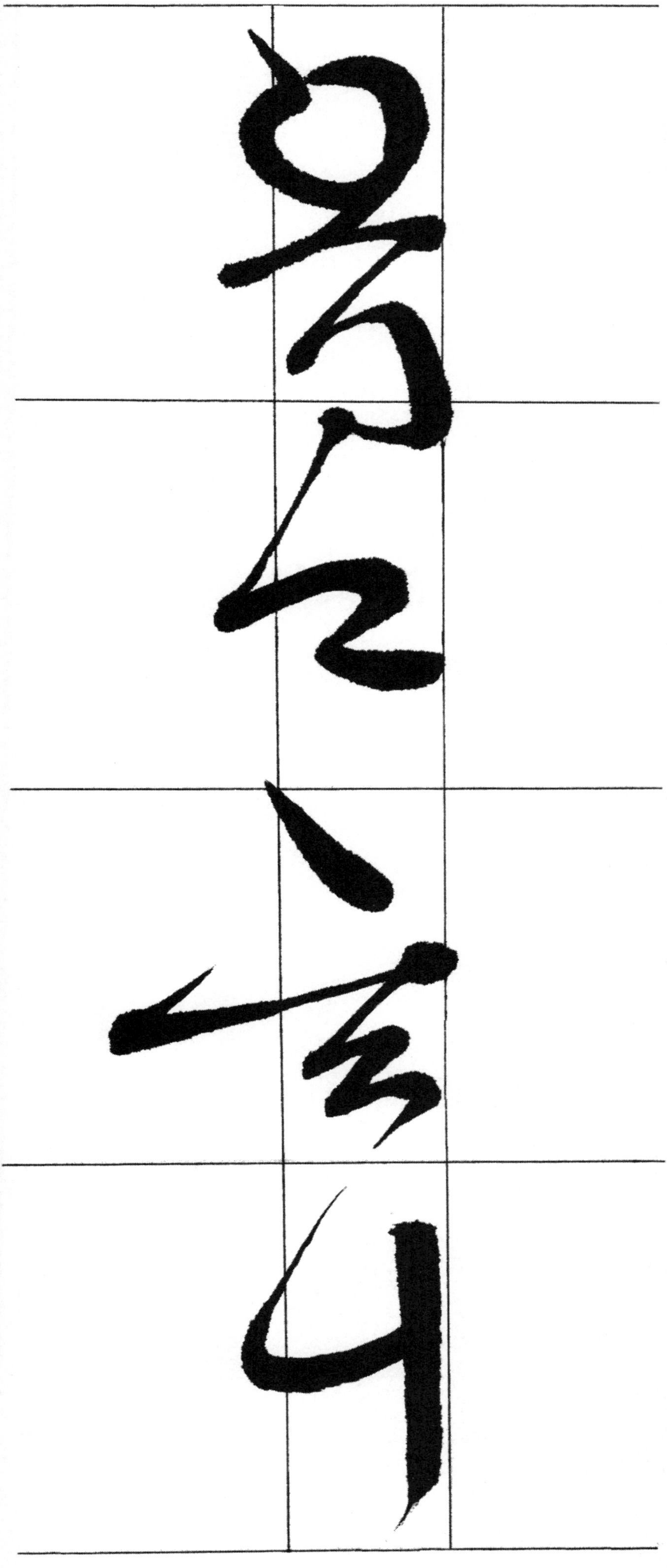

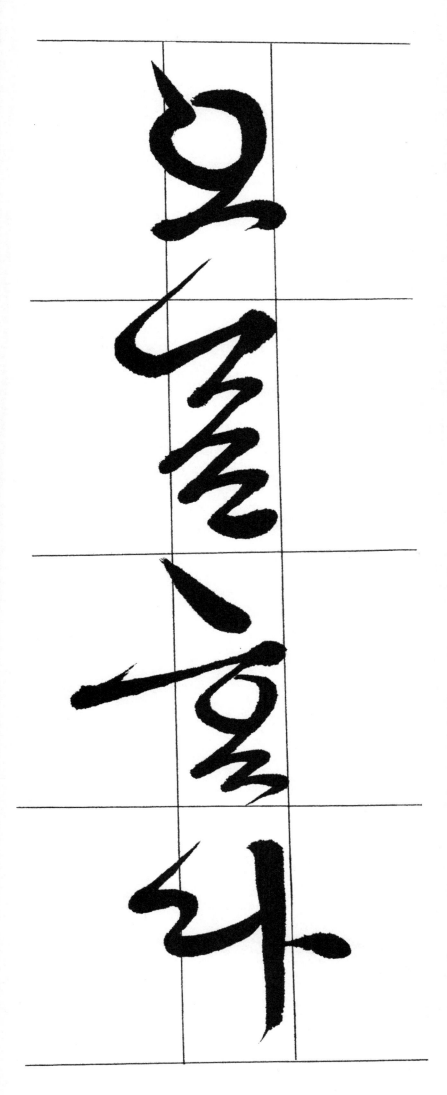

□ 고전궁체 진흘림 낱말

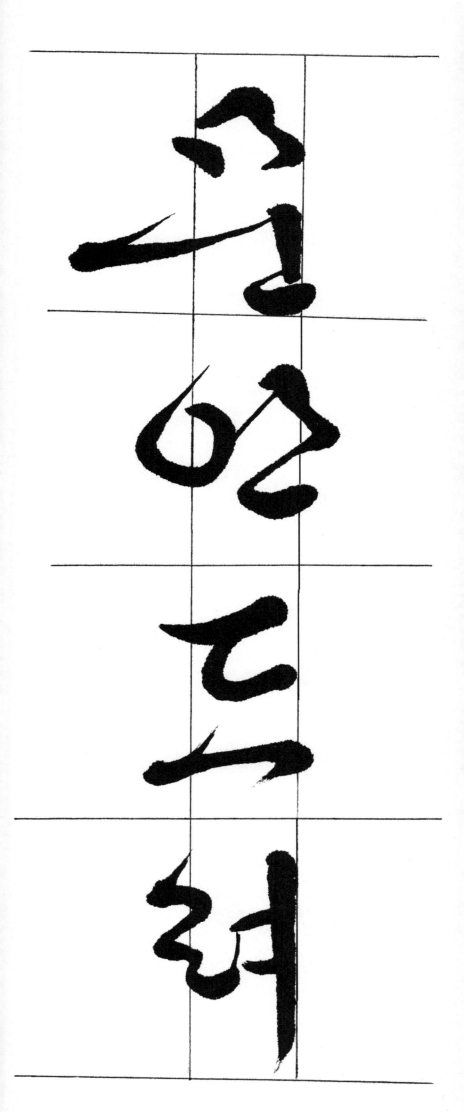

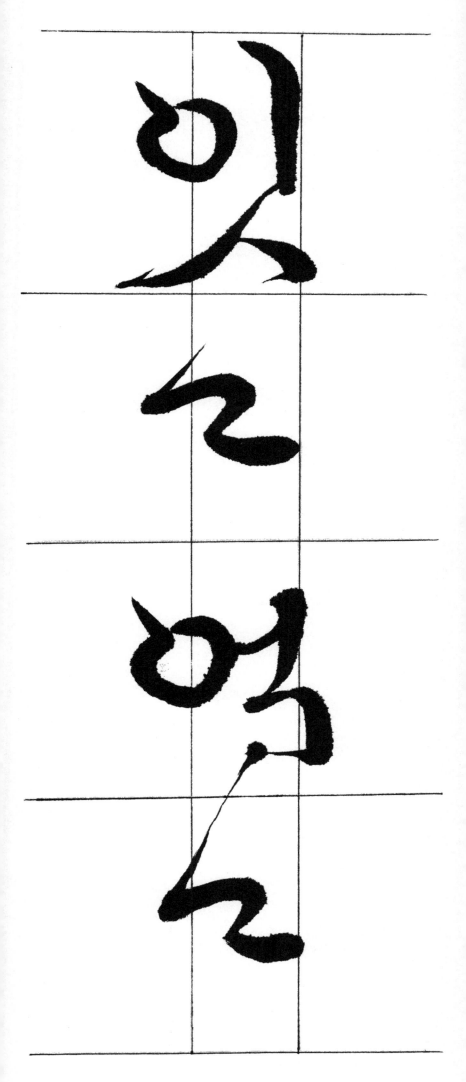

껴

괴

흘

와

□ 고전궁체 정자 시조

가마귀눈비마자희는듯검노민라

야광명월이밤인들어두오랴님향

한일편단심이야고칠줄이이시랴

박팽년의시조 갈꽃권숙희

정몽주어머니이씨의시조 권숙희

가마귀 싸호는골에 백로야 가지마
러성낸가마귀횐비틀새오느니창
파에 조히씨슨몸더러일가 흐노라

고즌 므스 일로 퓌며셔 쉬이 디고 플은

어이 하야 프르 나는 누르나니 아마도

변티 아닐순 바회 쑨인가 하노라

윤선도의 오우가   갈꽃 권숙희

곳치 딘다 ㅎ고 새들아 슬허마라
람에 흣늘리니 곳체 탓아니로다가
노라 희짓는 봄을 새와 므슴ㅎ리오

송운의 시조 갈꽃 권숙희

구룸빗치 조타 하나 검기를 자로 한다
람소리 맑다 하나 그츨적이 하노매라
조도 그츨 뉘업기는 믈뿐인가 하노라

윤선도의 오우가 갈꽃 권수희

국화야 너는 어이 삼월동풍 다 지나
고 낙목한천에 네 홀로 피였는다 아
마도 오상고절은 너뿐인가 하노라

이정보의 시조 갈꽃 권숙희

나모도 아닌거시 플도 아닌거시

곳기는 뉘 시기며 속은 어이 뷔엿는다 뎌러

코 사시에 프르니 그를 됴하 하노라

윤선도의 오우가 갈꽃 권숙희

나비야청산가쟈범나뷔너도가쟈가다

가쟈무러든곳의드러자고가쟈곳에셔

푸대접흐거든닙헤셔나자고가쟈

무인년가을 시조 갈꼿 권숙희

90

내 버디 몃치나 하니 수석과 송죽이라

동산의 달 오르니 긔 더욱 반갑고야 두

어라 이 다섯밧긔 또 하야 무어스하리

윤선도의 오우가 갈꽃 권숙희

눈마자 휘어진 대를 뉘라셔 굽다든
고구블 절이면 눈속에 프를 소냐아
마도 세한 고절은 너뿐인가 ᄒ노라

원천석의 시조 갈꽃 권숙희

뉘라셔 가마귀를검고 흉타하듯던고

반포보은이 긔 아니 아름다운가 사람

이져서 만못하믈 못내슬허하노라

박효관의 시조 갈꽃 권숙희

93

더우면 곳 퓌고 치우면 닙디거늘솔아

너는 엇디 눈서리를 모로는다 구천의

불휘 고든줄을 글로 흐야 아노라

윤선도의 오우가 갈꽃 권숙희

동창이 밝앗느냐 노고지리 우지진다
쇼 칠 아히는 여퇴 아니 니럿느냐 재너
머 스래 긴밧츨언제 갈려ᄒᆞ느니

남구만의 시조 갈꽃 권숙희

95

두류산 양단수를 녜 듯고 이제 보니
도화 뜬 맑은 물에 산영조ᄎ 잠겻어라아
희야 무릉이 어듸오나는 옌가ᄒᆞ노라

조식의 시조 갈꽃 권숙희

매화 옛등걸에 춘절이 도라오니
피든가지에 피염즉도 하다마는
이 난분분 하니 필동말동 하여라

매화의 시조 갈꽃 권숙희

■ 고전궁체 흘림 시조

버렷던가야고를쫄어쳐노라버니

청아흘녯소릐반가이나늘ㄹ야이

곡도알리업스니집겨ㄴ하두리라

울언도의산증신곡 천숙희

백셜이 자진골에 구룸이머흐레라

반가온매화 어늬곳에 픠엿느∟셕

양에홀로셔이셔갈곳몰라하노라

이색의 시조 갈꽃 천숙희

100

벽공의 놉흔 소리 찬이슬 저즉녁가

만산 홍엽은 연지를 물드리 그 을밋

희황 국회 늣추 강을 자랑흔다

농가월령가 구월령 정학희

보리밥 픗ᄂᆞ물을 알마초 머근 후에

바횟긋 믈ᄀᆞ의 슬ᄏᆞ지 노니노라 그나믄

녀나믄 일이야 부ᄅᆞᆯ쩔이 이시랴

윤선도의 만흥 같 끗 쳔 ᄉᆞᆨ희

102

믈휘 기픈 남ᄀᆞᆫ ᄇᆞᄅᆞ매 아니 뮐ᄊᆡ 곶됴

코 여름 하ᄂᆞ니 ᄉᆡ미 기픈 므른 ᄀᆞ래

아니 그츨ᄊᆡ 내히 이러 바ᄅᆞ래 가ᄂᆞ

용비어천가 갈꽃 정숙희

103

잔들고 혼자안자 먼뫼흘란보니그

리던님이오 반가오미이러하랴말

슴도우움도아녀도몯내됴하하노라

윤선도의 만흥 갈꽃 천수희

잘가노라 굿지말며 웃가노라 긔말
라 빈되 굿지말 그 흐음을 잇겨스라가
나가중지곳하면 아니갈만웃하나라

김천택의 시조 갈 꿏 청 숙희

105

쟈근거시노피뼈셔만믈을다비취니

밤듕의광명이너만ᄒᆞ나ᄯᅳᆺ잇ᄂᆞᆫ

보고도말아니ᄒᆞ니내벗인가ᄒᆞ노라

윤션도의오우가 갈꼿 쳔수희

짚방석 니지마라 낙엽엔들 못앉으랴

솔불 혀지마라 어제 진 달 돋아오나

아야 박주산챌망정 없다말고 내어라

한석봉의 한 정가 갈 꽃 천숙희

태산이 높다하되 하늘아래 뫼로

오르또 오르면 못오를리없건마는 사름

이제아니오르고 뫼만높다하여라

양사언의 시조 갈꽃 정숙희

108

청강에 비듯는 소리 긔 무어시 우읍관듸

만산홍록이 휘드르며 웃는고야 두어라

춘풍이 몃날이리 우을뒤로 우어라

호중의 시조 글 끝 정수희

청산은 엇제 ᄒᆞ야 만고애 프르르며

ᄂᆞᆫ 엇제 ᄒᆞ야 주야애 긋디아니 ᄂᆞᆫ고

우리도 그치지 마라 만고 상청ᄒᆞ리라

이황의 시조 갈꽃 전숙희

110

추강에밤이드니믈결이ᄎ노라
낙시드리우고고기안우노미라
홀들빗만싯고빈배저어오노미라

월산대군의 시조　갈꽃 천숙희

■ 고전궁체 진흘림 시조

산 속 갈 바 회 아 래 쬐 짐을 짓노라 후

그 므 론 높 들 은 녹 다 흘 너 내 어

리 하 얏 의 꽃 의 눌 내 봉 인 가 후 도 다

윤 선 도 의 산 흥 갈 꽃 천 수 희

113

산촌에 눈이오니 돌길이 무쳐쎠라

시비를 여지마라 날초즈릐 뉘이시리 밤

중만 일편명월이 긔벗인가 호노라

신흠의 시조 갈꼿 정수희

삼월은 오춘이라 청명곡우 절긔로다

춘일이 지앙호아 만울이 화창호니 백

화 난 반호 새소리 각식이라

농가월령가 삼월령 전수희

115

십 년을 경영 흐여 초려 삼간 지어 내니

흔간 달을 흔간에 청풍 흔간 맛겨두고 강산

은 들일 데 업스니 들러 두고 보리라

송순의 시조 갈꽃 전숙희

116

아바님 날나흐시ㄷ 어마님 날기르시니

두분곳 아니시면 이몸이 사라실가 하늘

ㄱ튼 가없슨 덕을 어듸다혀 갑사오리

정철의 훈민가 갈꽃 전수희

117

오늘도 다 새거다 호의 메오 가쟈스라

내 논 다 매여든 네 논 졈 매여 주마 올 길에

헤 뽕 따다가 누에 먹켜 보쟈스라

정철의 훈민가 갈 꽃 전 숙희

올희 같은 거리 학의 거리 되 도록에

걸은 기러기 해오라비 되도록에

북의강후쓰억먼 세를 누리소서

김구의 시조 갈꽃 전숙희

월출을 산이 높더니마을 뫼온 거시 안개

로다 천왕 제일봉을 일시에 가리와라

두어라 허 퍼진 후면 안개 안이 거드라

윤선도의 산중신곡 정숙희

한산셤 달 밝은 밤의 수루에 혼자 안차

큰 칼 여희 차고 기픈 시름 홀 적의 어

디셔 일셩 호가 남의 애를 긋나니

이충무공의 시조 갈꽃 전숙희

121

□ 옛글 뜻풀이

- 곳 – 꽃
- 그나믄 녀나믄 – 세속적 부귀공명
- 기더냐 – 길더냐
- 내히이러 – 냇물이 되어
- 넙엿더냐 – 넓더냐
- 노고지리 – 종달새
- 댤은 – 짧은
- 두렷더냐 – 둥글더냐
- 듯는 – 떨어지는
- 마히 – 장마가
- 뮐씨 – 하므로
- 바ᄅ래 가ᄂ니 – 바다로 흘러가니
- 박주산채 – 술과 나물
- 반포보은 – 자란 새끼가 어미에게 먹이를 주는 일
- 발을 더냐 – 밟겠더냐
- 벽공 – 푸른하늘
- 분에 – 분수에
- 수래 – 이랑
- 새나니 – 시기하니
- 소칠 – 소먹이는
- 솔불 – 솔가지에 붙인 불
- 슬ᄏ지 – 싫도록
- 시비 – 사립문
- 아녀도 – 아니하여도
- 애그츨만 – 애끓일만
- 어리고 – 어리석고
- 올히 – 오리
- 여름하ᄂ니 – 열매 많으니
- 우움 – 웃음
- 자힐러냐 – 재겠더냐
- 쟈르더냐 – 짧더냐
- 장기 – 쟁기
- 재양 – 절기가 따뜻해 지는 것
- 지멸이 – 지극히
- 햐암 – 시골뜨기
- 희짓다 – 남의 일에 방해하다

□ 낱말 뜻풀이

- 강심 – 강물의 한 가운데
- 낙목한천 – 잎이 떨어진 나무와 추운 겨울철
- 남루시름 – 누더기와 근심걱정
- 도화 – 복숭아꽃　　　• 만고 – 오랜 세월
- 만고상청 – 오랜세월에도 변함없이 언제나 푸름
- 만리변성 – 멀리 떨어진 국경부근의 성
- 만수산 – 경치가 아름답기로 유명한 산
- 명월 – 밝은달, 보름달　　• 뫼 – 산
- 무릉 – 무릉의 어부가 발견했다는 상상의 땅
- 묵향 – 먹의 향기
- 백골 – 흰뼈
- 산영 – 산의 그림자
- 삼월동풍 – 삼월에 동쪽에서 부는 바람
- 석양 – 저녁해 또는 저녁햇빛
- 세한고절 – 매우 심한 한 겨울 추위와
　　　　　　　외롭게 지키는 절개
- 소정 – 작은 배
- 송죽 – 소나무와 대나무
- 수루 – 적군을 살리기 위해 성위에 지은 망루
- 수석 – 물과 돌
- 야광명월 – 밤에 빛나는 밝은달
- 오상고절 – 서릿발이 심한속에서도 굽히지 않고
　　　　　　　외로이 지키는 절개
- 유수 – 흐르는 물
- 일간죽 – 낚시대
- 일성호가 – 한곡조의 피리소리
- 일편단심 – 한조각의 붉은마음, 참된 정성
- 절개 – 신념이 변하지 않는 성실한 태도
- 진토 – 티끌과 흙
- 창공 – 푸른 하늘
- 천공 – 하느님
- 청산 – 풀과 나무가 무성한 푸른산
- 청풍 – 부드럽고 맑게 부는 바람
- 초당한간 – 짚으로 지붕을 만든 작은 집 한채
- 촌음 – 짧은 시간
- 추강 – 가을 강
- 추산 – 가을 산
- 추풍 – 가을 바람
- 충추월 – 가을이 한창때인 음력 8월의 맑고 밝은 달
- 탐욕 – 지나치게 탐내는 욕심
- 태산 – 높고 큰 산

갈꽃 권 숙 희

- · 꽃뜰 이미경 님 사사
- · 백수 정완영 님 사사
- · 갈물한글서회 이사
- · 갈꽃한글서예원 원장

작품소장
- · 국립한글박물관
- · 세종대왕박물관
- · 백수문학관
- · 한국시집박물관

갈꽃한글서예원

☎(033)251-4524 / 010-8518-4524
24307. 강원도 춘천시 후만로 116번길 11-1

갈꽃 권숙희쓴
한글서예 고전궁체

2000년	2월 10일	초판발행
2005년	10월 18일	재판발행
2019년	10월 31일	3판발행

저 자 : 권 숙 희

발행처 : ❀ ㈜이화문화출판사

발행인 : 이 홍 연, 이 선 화

등록번호 : 제 300-2015-92

서울시 종로구 인사동길 12 (대일빌딩 3층 310호)

전화 (02) 732-7091~3

팩스 (02) 725-5153

정가 15,000원